*À Ann Bobco, affectueusement.*

Une première édition de cet ouvrage a paru en 2016 aux États-Unis
chez Atheneum Books for Young Readers, un imprint de Simon & Schusters
Children's Publishing Division, New York, sous le titre *Olivia the Spy*.
Texte et illustrations intérieures © Ian Falconer, 2016
Illustrations de couverture © Ian Falconer, 2012, 2016
Photo du Lincoln Center for the Performing Arts © Magnus Feil, 2006
Photo de Park Avenue © 2016 WallpaperFolder, tous droits réservés
Maquette de Ann Bobco.

Pour l'édition française
© Éditions du Seuil, 2017
Dépôt légal : Juin 2017
ISBN : 979-10-235-0887-1
Traduit de l'anglais (américain) par Yves Henriet
Loi 49-956 du 16 juillet 1949 sur les publications destinées à la jeunesse
Tous droits de reproduction réservés
Imprimé en Chine en mars 2017
www.seuiljeunesse.com

# OLIVIA

## joue les espionnes

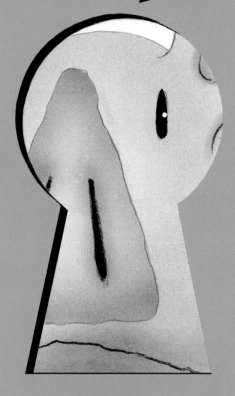

Ian
Falconer

SEUIL JEUNESSE

Un après-midi, Olivia passait
dans le couloir quand elle surprit
une conversation entre
sa mère et sa tante.

« Je suis à bout de nerfs.
Je venais de nettoyer toute
la cuisine quand Olivia a décidé
de se faire un smoothie.
Un smoothie aux *myrtilles*. »

Olivia entendit son nom.
Elle s'arrêta et tendit l'oreille.

« Je l'avais prévenue, pourtant :
Ne remplis pas à ras bord ! Ne verse
pas toutes les myrtilles d'un coup.
Attention… Pas trop de lait ou
tu vas en mettre partout…

— Maman, je SAIS me servir du blender… »

« Devine qui a dû *tout* nettoyer ?

Et ce n'est pas fini. Ensuite il y a eu
l'épisode de la machine à laver… »

« Je lui avais demandé de mettre
les chemises blanches de son père dans le tambour.

— Olivia,
ne bourre pas
la machine
comme ça…

… et une seule dose de lessive suffira.

— Maman, je SAIS
faire une machine.

– Olivia, tu as mis
tes chaussettes rouges
avec les chemises blanches
et maintenant les chemises blanches
sont roses !

– Mais elles sont
super comme ça !

– Eh bien c'est toi qui vas les porter, alors ! »

Ce qu'elle fit.

« Si seulement
je pouvais l'envoyer
quelque part
où on lui mettrait
du PLOMB DANS
LA CERVELLE ! »

Du PLOMB DANS LA CERVELLE ? pensa Olivia. Mais je suis
la seule dans cette maison à avoir du PLOMB DANS LA CERVELLE !
Je me demande bien ce qu'elle peut raconter D'AUTRE sur moi ?

Peut-être que je devrais l'espionner.

Ce qu'elle fit.

Mais il fallait ruser pour cela.

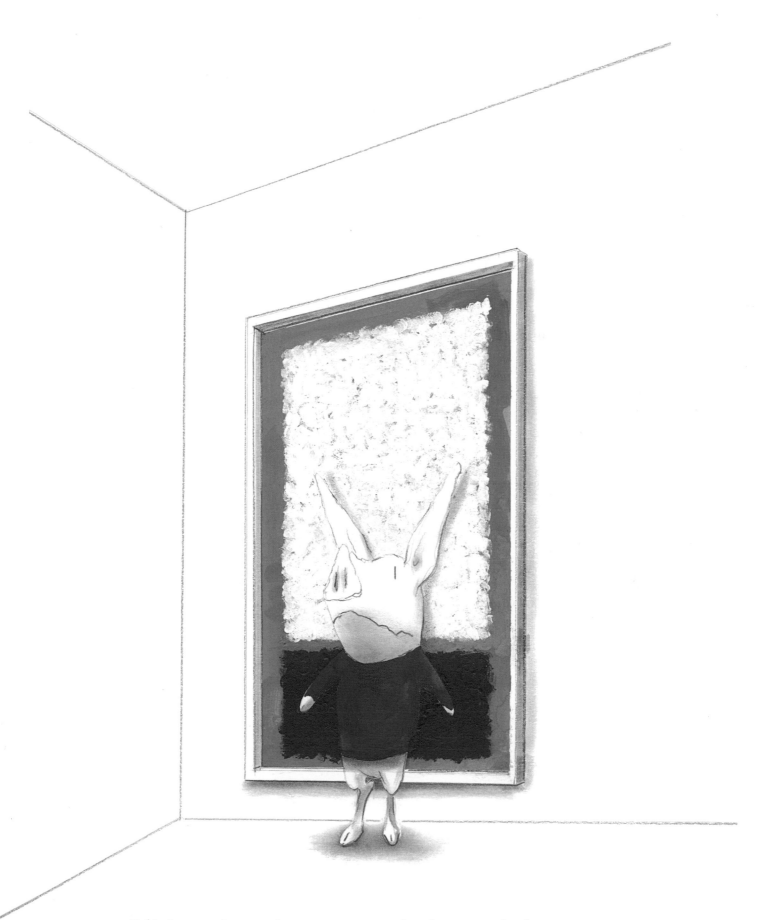

Olivia avait toujours été sur le devant de la scène.
Maintenant elle devait se fondre dans le paysage.

Elle devait être partout.

*Partout.*

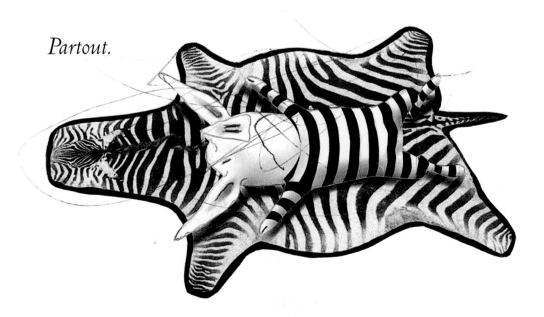

Absolument partout.

« Franchement, elle m'épuise !
Hier, j'ai dû
lui demander au moins cinq fois
de ranger sa chambre.

Si seulement il y avait
un endroit où on pouvait lui
apprendre à écouter…

LIVVIA !

CHHT !

… comme une école militaire. »

La mère d'Olivia lui avait préparé une sortie surprise
à l'opéra, mais elle commençait à le regretter.
« Si je l'emmène voir un ballet, tu crois qu'elle sera capable
de rester assise sans gigoter dans tous les sens ? »

Olivia arriva juste à temps
pour entendre son père répondre :
« Mais c'est parfait pour elle, comme endroit !
C'est une véritable INSTITUTION ! »

Le jour suivant, Olivia demanda à son maître :
« C'est quoi, une institution ?

— Bonne question, Olivia.
Une institution, ça peut être plein
de choses différentes. Un bâtiment comme
une bibliothèque, ou bien un usage comme
le mariage. Ça peut aussi être l'armée,
la justice, la prison… »

bibliothèque

mariage

justice

prison

# La prison ?!

Le lendemain matin, la mère d'Olivia lui dit
de se préparer pour sortir vers 18 heures.

« Je t'emmène dans un endroit très SPÉCIAL !

– Où ça ? interrogea Olivia d'une toute petite voix.

– C'est une SURPRISE !

– D'accord, maman, je serai prête. »

Et tout au long de cette triste journée,
Olivia se demanda ce dont on avait besoin dans une institution.

Elle rassembla ses maigres affaires,
mit sa plus belle robe et descendit
retrouver sa mère.

« Oh, mais tu ne peux
rien emporter là où tu vas… »

« Tu es terriblement calme, ce soir, Olivia. »

Olivia ne répondit pas.
Elle était trop occupée à faire ses adieux
à cette ville qu'elle aimait tant.

Quand elles descendirent du taxi, Olivia s'écria :
« UN BALLET ! Tu m'emmènes voir UN BALLET !

— Oui ma chérie, c'est ça, la SURPRISE !

— Moi je croyais que tu m'emmenais dans une INSTITUTION !

— *Une institution ?* Olivia ! Mais tu écoutes aux portes ?

— Ça veut dire quoi "écouter aux portes" ? demanda Olivia.

— Ça veut dire écouter les conversations des gens en cachette, mon ange.

— Maman ! JAMAIS je ne ferais une chose pareille.
J'ESPIONNAIS, c'est tout. »

Avant de rejoindre leurs places, sa mère
lui demanda si elle avait besoin d'aller *où-tu-sais*.
« Non, répondit Olivia, pas la peine. »

Bien sûr, dix minutes après le début
du premier acte, Olivia eut besoin d'y aller.
*Vraiment* besoin !

« Excusez-moi, ma fille a besoin d'aller *vous-savez-où*.

— Bien sûr, c'est la porte de gauche.

— Tu veux que je t'accompagne, Olivia ?

— Maman, je SAIS aller aux toilettes toute seule. »

« J'en ai un du même âge. Ils sont très vivants.

— Ah ça, oui. Il ne faut pas les quitter des yeux une seconde.

— Pas une seule, non ! »

« Tu es là ! dit la mère d'Olivia. Tu en as mis du temps,
je commençais à m'inquiéter !

– C'était beaucoup plus loin que ce que la dame a dit... »

« Merci maman, c'était merveilleux.

— Oh, ma chérie, je suis si contente que ça t'ait plu !

— Enfin, ajouta Olivia, les filles du *pas de quatre*
auraient pu travailler un peu plus leurs *entrechats*. »

« Alors Olivia, qu'est-ce que
tu as récolté en écoutant aux portes ?

– Des bouts de vérité, de fausses informations.

– Et comment tu t'es sentie
en faisant ça ?

– Inquiète et méfiante. »

« Je suis désolée, maman.
Pour la peine, je préparerai
le dîner toute la semaine.

– Oh non, pas question.

– MAMAN,
je SAIS faire la cuisine. »

Fin

(au moins jusqu'à demain)